Ce changement-là

A Charles et à Jean

Philippe Dumas

Ce changement-là

l'école des loisirs
11, rue de Sèvres à Paris 6^e

«... une petite voix qui s'ajoute quelque part dans le monde à l'immense liturgie que célèbrent à perpétuité les astres décrivant leurs orbites dans les cieux.»

C.F. Ramuz

© 1981, l'école des loisirs/Paris
Loi n° 49956 du 16.07.49 sur les publications
destinées à la jeunesse : septembre 1981
Dépôt légal : 3ᵉ trimestre 1981
Imprimé en France par Maury à Malesherbes.

Nous ne sommes pas grand-chose.
Le ciel est vaste
au-dessus de nos têtes.
Parfois nous y trouvons le soleil.
D'autres jours il pleut, ou il neige.
Tout cela fait un grand silence,
que ne couvre pas le bruit
des moteurs.

Nous savons que le soir va venir, qui emplira ce silence de ténèbres et d'étoiles.

Il arrive qu'on se pose des questions. On se demande d'où on vient, où on va...

... et parfois même : « Qui suis-je ? »

On interroge ses parents,
censés plus bavards que le ciel :
«C'est nous qui t'avons fait»
disent-ils.
Par quel prodige ?
Papa est incapable de réparer
une chaise.

Les parents, si on leur demande
où on était **AVANT** de naître,
sont bien embarrassés.

De même, quand on veut leur faire dire
où on ira **APRÈS** la mort, ils se taisent.
Ce qui est sûr
c'est que nous mourrons tous,

eh oui, eux comme nous,
un de ces jours,
on ne sait quand...
«mais le plus tard possible.»

Moi je peux parler d'un petit garçon qui est né,
a grandi,
est devenu un homme,
puis un homme plus âgé,
puis un vieux monsieur,
et puis qui est mort.

Je l'ai bien connu. C'était mon père : le grand-père de mes
enfants, car à présent je suis marié.
Il est mort cet hiver.

Personne n'avait entendu parler de lui avant sa venue au monde : sa famille ne l'imaginait même pas : le bébé serait-il une fille ou un garçon ? Mystère total.

Maintenant qu'il nous a quittés, nous le savons. Je possède même des photos de lui prises le jour de sa naissance.

Mais où se trouve-t-il à présent ? Nous voit-il ? Nous entend-il ? Cela non plus, nous ne parvenons pas à le concevoir de façon nette.

Qu'est ce que c'est au juste, une âme ?

Avant lui, ses parents avaient eu neuf enfants : ça lui a fait d'emblée une belle compagnie de six grandes sœurs et trois grands frères pour échanger des idées...

... et aussi pas mal de monde à se réjouir de son apparition, les uns d'un pur mouvement de sympathie, quelques autres peut-être un peu à cause des dragées du baptême.

Ci-contre, page de droite, je me suis amusé à le représenter au sommet d'une pyramide formée par ses ancêtres. C'est lui qui brandit la pancarte.

16

Comme tous les petits enfants, il a eu ses moments gais, et ses moments moins gais. Etre enfant n'est pas aussi drôle que le croient les adultes.

Il a fait des bêtises
et pris quelques fessées,
vu qu'à l'époque, ceci
était le prix de cela.

Inversement
il a contenté ses parents,
et reçu des récompenses.

Le voici maintenant à l'âge de dix-huit ans, posant pour une
photographie d'identité.
En ce temps-là il y avait une guerre très dure, terrible, qui
tuait des milliers de garçons et en blessait beaucoup d'autres.

Pour s'abriter des balles, les soldats creusaient des tranchées,
où ils passaient des mois, menant une vie de taupes.

Mais il y avait les obus, tirés par des canons, et les gaz, qui asphyxiaient les pauvres taupes.

Mon père a perdu plusieurs de ses cousins et de ses amis dès le début de cette guerre.

A son tour, il s'engage, et le voilà au front. Un jour de novembre, au cours de la bataille du Chemin des Dames, il est touché. La balle lui entre par le cou et lui sort par le dos. La blessure est grave.

On le laisse pour mort dans un trou de terre. Il vient d'avoir dix-neuf ans.
Par chance un infirmier ennemi le trouve et, bien qu'ennemi, panse sa blessure et l'emporte.

Il est sauvé.

Mais chez lui, on ne le sait pas.
Au contraire, on se désole.
Il a été porté «disparu», on a même reçu sa cantine militaire.

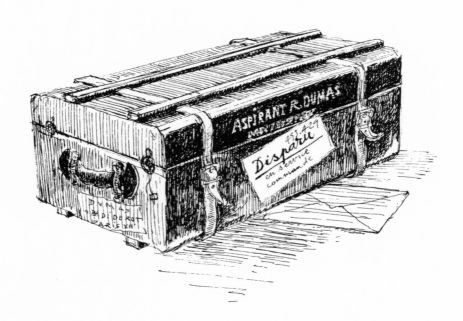

Toute la famille pleure, pensant ne jamais le revoir.

Sa mère prend le deuil, c'est-à-dire qu'elle s'habille en noir, qui est devenu la couleur de ses pensées.

Mais là-bas, dans le pays où il est prisonnier, la blessure de
mon père se referme et, à nouveau, il peut se tenir debout.
Par conséquent, il s'évade.

Marchant la nuit, dormant le jour dans les bois, il finit par
atteindre la frontière, derrière laquelle se trouve la liberté.
Il réussit à la franchir.

Des mois ont passé depuis sa «disparition». Lorsqu'il arrive à la maison, c'est le soir. Sa mère est seule. Elle coud sous la lampe.

Il pousse simplement la porte et dit: «Bonsoir maman.»

Pour elle, ç'a été un tel choc de bonheur qu'elle a perdu
connaissance.
Mais peut-être après tout qu'une vie n'est une vraie vie qu'au
prix de telles émotions.

La paix est revenue.

Mon père oublie tout de la guerre, sauf ce qui ne s'en oublie pas. Il a trouvé un travail, à Paris, et il est tombé amoureux d'une jeune fille, et tous deux se marient.

A leur tour ils ont des enfants, six enfants, dont moi qui vous parle, porteur du numéro Cinq.

Ces six enfants ont eu eux-mêmes des enfants, tout cet ensemble formant un arbre généalogique que j'ai dessiné sur cette page, bien que cela ne soit pas absolument dans ma compétence habituelle.

Voici les deux derniers venus, Charles et Jean, à qui j'ai dédié ce petit livre.

Ils portent les numéros Quinze et Seize. Ce sont les fils de mon frère Frédéric (qui a épousé Lynn) et de moi-même (marié à Kay).

Lorsqu'ils sont nés, leur grand-père était déjà malade.
Depuis quelque temps il ne se sentait plus d'attaque: plus
aussi courageux, par exemple, pour travailler à son jardin.
Il avait mal au ventre. Le docteur lui a dit qu'on devrait
l'opérer.

Il a pris la chose avec bonne humeur, et même, durant les
quelques mois qui ont suivi l'opération, il s'est senti mieux.

Mais tel le voyageur qui s'apprête au départ, il a rangé ses
affaires : il ne voulait pas laisser de désordre.

Il sentait que le terme de son passage sur cette terre approchait.
Ça a été sa dernière année ; son dernier mois ; et sa dernière
semaine.

Nous venions aussi souvent que possible les uns et les autres bavarder avec lui.

Il nous parlait de nos enfants,

et du temps où nous-mêmes avions été enfants,

et de son enfance à lui...

Rien de cela n'était évoqué tristement.

Mais est venu le moment où il n'a presque plus pu manger – puis plus du tout. Il s'est affaibli, jusqu'à ce que se lever seulement de son lit devienne, comme il disait, «tout un programme».

Alors il a attendu que son cœur fatigué cesse de battre.

Et la mort est venue, qui l'a emporté de l'autre côté de la vie.

Le matin du vingt-quatre février, ses souffrances physiques, qui étaient grandes, ont pris fin.

Dans nos pays, l'usage est de coucher les morts dans un cercueil,

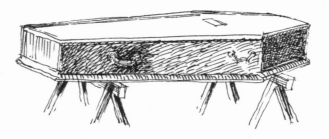

et de descendre celui-ci dans un trou, sur quoi on place une dalle de pierre.

«On conduit le cercueil dans la tombe avec une certaine cérémonie, car il y a là quelque chose de solennel.»

Quant à la suite des événements, chacun croit ce qu'il veut,
sans que personne puisse démontrer où est le vrai.

Mon père pensait que quitter les vivants n'est pas seulement
mourir, que c'est aussi sans doute aller retrouver les morts
qu'on a aimés, sa femme, ses parents, ses frères et sœurs et ses
amis partis plus tôt.

Mon père croyait en Dieu, et à des sortes de retrouvailles, lors de la Résurrection :

un peu de la même façon, en somme, que sa mère
l'avait vu ressusciter après l'avoir cru mort, à son
retour de la guerre.

Quelle bonne surprise cela serait pour ceux qui
n'y croient pas.

Pour moi, qui suis quelqu'un de mon temps, avec un caractère plus faible, enclin au doute, j'hésite à croire que tout soit aussi simple ;

il m'arrive d'être perplexe.

Dans mes bons jours, j'espère fortement.
Dans mes mauvais, moins fortement.

Mais alors je tâche de me consoler en songeant que mourir ne doit pas être si terrible, puisque tant de gens y réussissent.

Je me dis qu'en fin de compte, c'est chaque jour que nous mourons, puisque chaque jour emporte quelques-uns de mes cheveux qui ne repousseront pas.

Aujourd'hui j'ai dû tailler une fois de plus
les hêtres que mon père a plantés,
et la vie continue.

Par la fenêtre, j'entends un de nos enfants qui chantonne :
c'est une petite chanson qu'il avait composée en l'honneur de
son grand-père malade.

Il y est question de monter au ciel pour aller se faire soigner
par le Bon Dieu, qui est le plus grand docteur de tous.

Mon enfant qui chante, un jour mourra.
Les enfants qui naissent sont les morts de demain.

56

Leur chance serait de toujours pouvoir chanter ce que chantait mon père enfant: «L'Éternel est ma lumière et ma délivrance; l'Éternel est la force de ma vie; de quoi aurais-je peur?»

59

De quoi aurions-nous peur ?
Le silence de nos cimetières
est plein de murmures pour qui sait les entendre,
et il y a peut-être dans ces murmures plus
de « bonjour » que d'adieux.
Au fond, il n'y a ni commencement, ni fin.

Ce qui fut, se refait : tout coule comme une eau,
Et rien dessous le Ciel ne se voit de nouveau :
Mais la forme se change en une autre nouvelle,
Et ce changement-là, Vivre, au monde s'appelle,
Et Mourir, quand la forme en une autre s'en va.

Pierre de Ronsard
Hymne de la mort

61